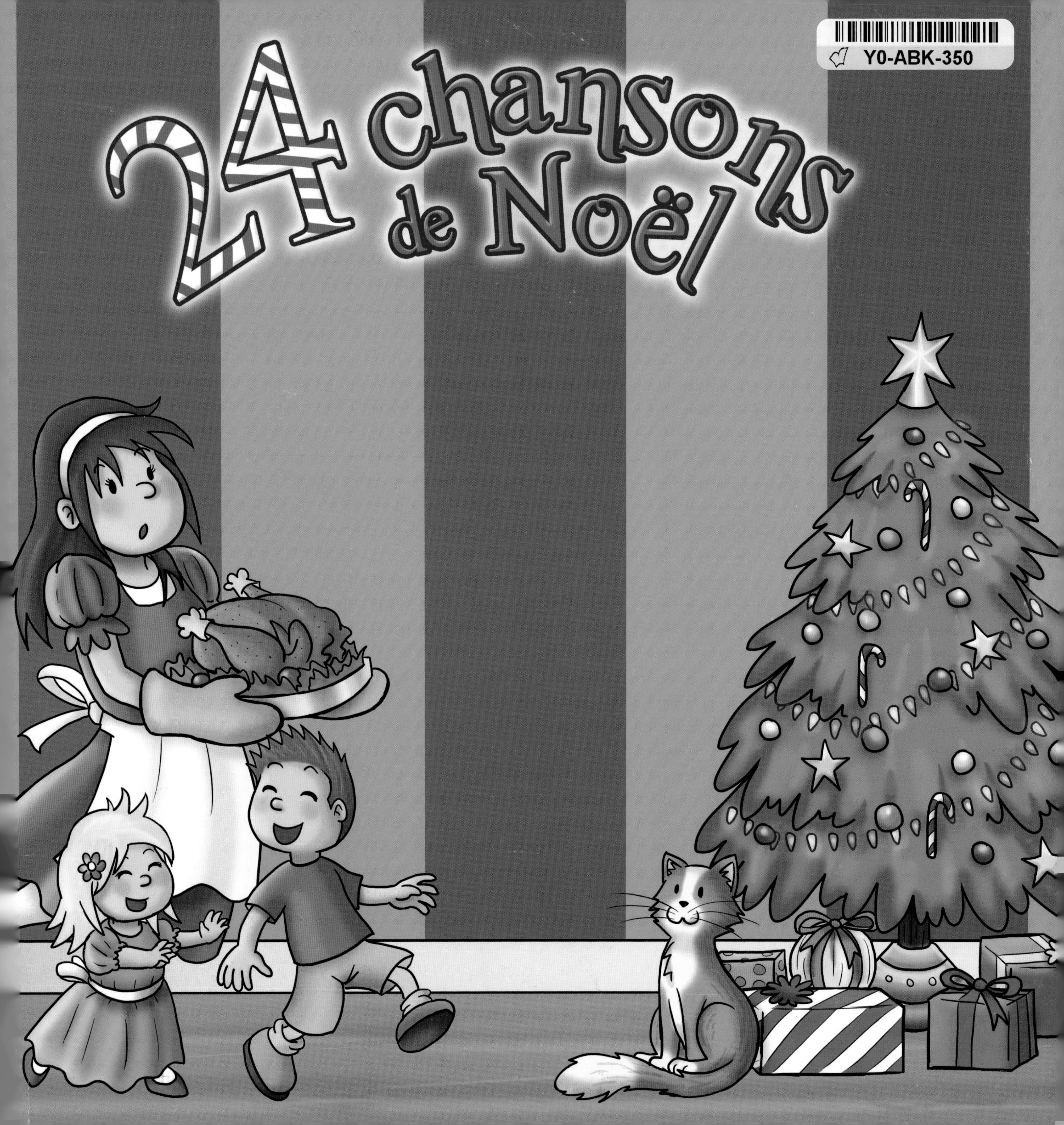

Y0-ABK-350

Graphisme : Marjolaine Pageau
et Jessica Papineau-Lapierre

Couverture : Jessica Papineau-Lapierre

Illustrations : Lukaël Bélanger

Voix : Isabelle Renaud et Isabelle Dowd

Piano et arrangements : Isabelle Mathieu

Enregistrement et montage sonore :
Nigel des Productions CR
et Studio Mandragore

© Les Éditions Coup d'œil, 3e trimestre 2012

Imprimé en Chine

ISBN : 978-2-89690-386-3

Table des matières

Petit papa Noël

C'est la belle nuit de Noël
La neige étend son manteau blanc
Et les yeux levés vers le ciel
À genoux, les petits enfants
Avant de fermer les paupières
Font une dernière prière

Petit papa Noël
Quand tu descendras du ciel
Avec des jouets par milliers
N'oublie pas mon petit soulier

Mais avant de partir
Il faudra bien te couvrir
Dehors tu vas avoir si froid
C'est un peu à cause de moi

Il me tarde tant que le jour se lève
Pour voir si tu m'as apporté
Tous les beaux joujoux que je vois en rêve
Et que je t'ai commandés

Petit papa Noël
Quand tu descendras du ciel
Avec des jouets par milliers
N'oublie pas mon petit soulier

Le marchand de sable est passé
Les enfants vont faire dodo
Et tu vas pouvoir commencer
Avec ta hotte sur le dos
Au son des cloches des églises
Ta distribution de surprises

Petit papa Noël
Quand tu descendras du ciel
Avec des jouets par milliers
N'oublie pas mon petit soulier

Si tu dois t'arrêter
Sur les toits du monde entier
Tout ça avant demain matin
Mets-toi vite, vite en chemin

Et quand tu seras sur ton beau nuage
Viens d'abord sur notre maison
Je n'ai pas été tous les jours bien sage
Mais j'en demande pardon

Petit papa Noël
Quand tu descendras du ciel,
Avec des jouets par milliers
N'oublie pas mon petit soulier
Petit papa Noël

Que l'on chante et qu'on s'apprête
Fa la la la la la la la la
Sonnez pipeaux et trompettes
Fa la la la la la la la la
Car c'est la joie qu'on apporte
Fa la la la la la la la la
Ouvrez donc grand vos portes
Fa la la la la la la la la

Dans les villes et villages
Fa la la la la la la la la
Répandons notre message
Fa la la la la la la la la
Proclamons la joie profonde
Fa la la la la la la la la
Que Dieu a donné au monde
Fa la la la la la la la la

Voici les cloches qui sonnent
Fa la la la la la la la la
Que le nouvel an nous donne
Fa la la la la la la la la
Un coeur rempli de tendresse
Fa la la la la la la la la
C'est la plus belle richesse
Fa la la la la la la la la
Fa la la la la la la la la

Farandole

Il est né le divin enfant

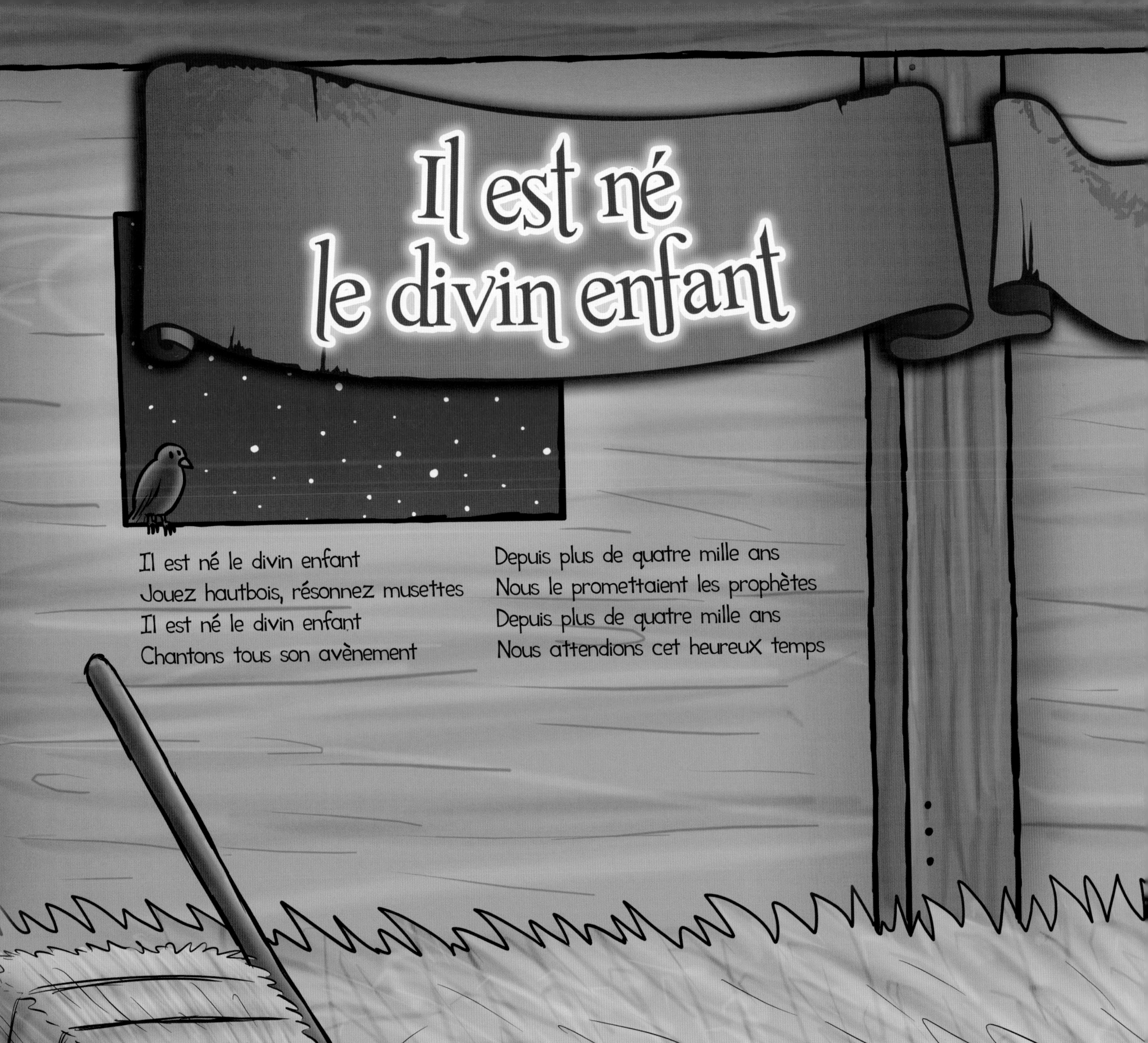

Il est né le divin enfant
Jouez hautbois, résonnez musettes
Il est né le divin enfant
Chantons tous son avènement

Depuis plus de quatre mille ans
Nous le promettaient les prophètes
Depuis plus de quatre mille ans
Nous attendions cet heureux temps

Il est né le divin enfant
Jouez hautbois, résonnez musettes
Il est né le divin enfant
Chantons tous son avènement

Ah! Qu'il est beau, qu'il est charmant!
Ah! Que ses grâces sont parfaites!
Ah! Qu'il est beau, qu'il est charmant!
Qu'il est doux ce divin enfant!

Il est né le divin enfant
Jouez hautbois, résonnez musettes
Il est né le divin enfant
Chantons tous son avènement

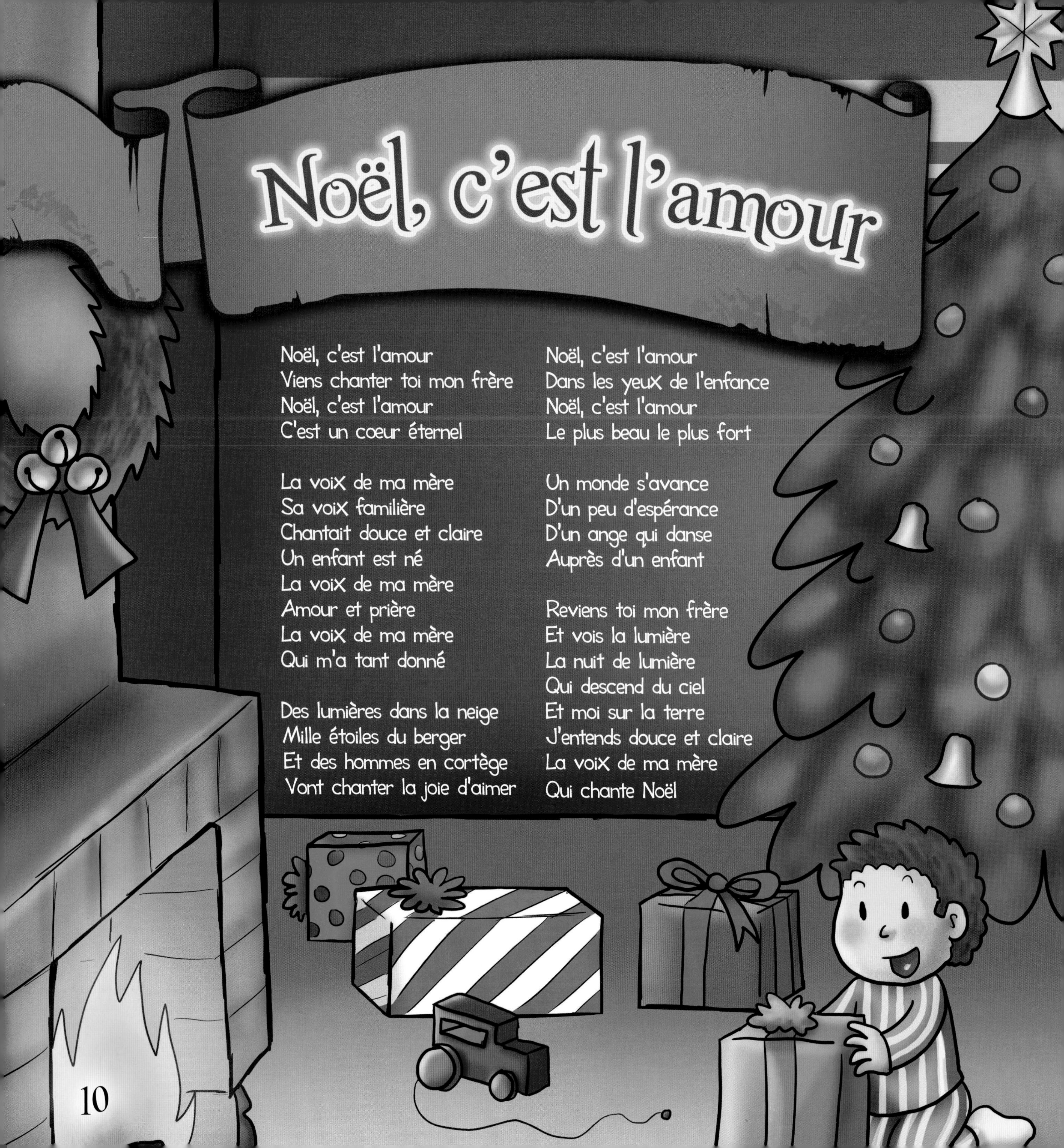

Noël, c'est l'amour

Noël, c'est l'amour
Viens chanter toi mon frère
Noël, c'est l'amour
C'est un coeur éternel

La voix de ma mère
Sa voix familière
Chantait douce et claire
Un enfant est né
La voix de ma mère
Amour et prière
La voix de ma mère
Qui m'a tant donné

Des lumières dans la neige
Mille étoiles du berger
Et des hommes en cortège
Vont chanter la joie d'aimer

Noël, c'est l'amour
Dans les yeux de l'enfance
Noël, c'est l'amour
Le plus beau le plus fort

Un monde s'avance
D'un peu d'espérance
D'un ange qui danse
Auprès d'un enfant

Reviens toi mon frère
Et vois la lumière
La nuit de lumière
Qui descend du ciel
Et moi sur la terre
J'entends douce et claire
La voix de ma mère
Qui chante Noël

Le p'tit renne au nez rouge

Quand la neige recouvre la verte Finlande
Et que les rennes traversent la lande
Le vent dans la nuit
Au troupeau, parle encore de lui

On l'appelait Nez rouge
Ah! comme il était mignon,
Le p'tit renne au nez rouge
Rouge comme un lumignon
Son p'tit nez faisait rire
Chacun s'en moquait beaucoup
On allait jusqu'à dire
Qu'il aimait boire un p'tit coup
Une fée qui l'entendit
Pleurer dans le noir
Pour le consoler, lui dit
Viens au paradis ce soir
Comme un ange au nez rouge
Tu conduiras dans le ciel
Avec ton p'tit nez rouge
Le chariot du père Noël

Quand ses frères le virent d'allure si leste
Suivre très digne les routes célestes
Devant ses ébats, plus d'un renne resta baba

On l'appelait Nez rouge
Ah! comme il était mignon
Le p'tit renne au nez rouge
Rouge comme un lumignon
Maintenant qu'il entraîne
Son char à travers les cieux
C'est lui le roi des rennes
Et son nez fait des envieux
Vous, fillettes et garçons
Pour la grande nuit
Si vous savez vos leçons
Dès que sonnera minuit
Ce petit point qui bouge
Ainsi qu'une étoile au ciel
C'est le nez de Nez rouge
Annonçant le père Noël (bis)

La nuit est pleine de chants joyeux
Le bois craque dans le feu
La table est déjà garnie
Tout est prêt pour mes amis
Et j'attends l'heure où ils vont venir
En écoutant tous mes souvenirs

Oh! Quand j'entends chanter Noël
J'aime revoir mes joies d'enfant
Le sapin scintillant, la neige d'argent
Noël mon beau rêve blanc
Oh! Quand j'entends sonner au ciel
L'heure où le bon vieillard descend
Je revois tes yeux clairs, Maman
Et je songe à d'autres Noëls blancs

Noël blanc

Oh! Quand j'entends chanter Noël
J'aime revoir mes joies d'enfant
Le sapin scintillant, la neige d'argent
Noël mon beau rêve blanc

Oh! Quand j'entends sonner au ciel
L'heure où le bon vieillard descend
Je revois tes yeux clairs, Maman
Et je songe à d'autres Noëls blancs

C'est l'hiver !

Nous filons sur la neige blanche
En ce beau jour de dimanche
À travers les sapins verts
C'est l'hiver, c'est l'hiver, c'est l'hiver!

Les enfants de notre village
Chantent la joie de leur âge
Et les grands murmurent cet air
C'est l'hiver, c'est l'hiver, c'est l'hiver!

Le bon Dieu dans son paradis
Doit aussi chanter avec nous
Car la nature est si jolie
Le bleu de son ciel est si doux!

Oh ! Filons sur la neige blanche
En ce beau jour de dimanche
À travers les sapins verts
C'est l'hiver, c'est l'hiver, c'est l'hiver!

Minuit, chrétiens !

Minuit, chrétiens! C'est l'heure solennelle
Où l'homme Dieu descendit jusqu'à nous
Pour effacer la tache originelle
Et de son père arrêter le courroux
Le monde entier tressaille d'espérance
À cette nuit qui lui donne un sauveur
Peuple, à genoux! Attends ta délivrance
Noël! Noël! Voici le Rédempteur!
Noël! Noël! Voici le Rédempteur!

De notre foi que la lumière ardente
Nous guide tous au berceau de l'enfant
Comme autrefois, une étoile brillante
Y conduisit les chefs de l'Orient
Le Roi des Rois naît dans une humble crèche
Puissants du jour fiers de votre grandeur
À votre orgueil c'est de là qu'un Dieu prêche
Courbez vos fronts devant le Rédempteur!
Courbez vos fronts devant le Rédempteur!

Le Rédempteur a brisé toute entrave
La terre est libre et le ciel est ouvert
Il voit un frère où n'était qu'un esclave
L'amour unit ceux qu'enchaînait le fer
Qui lui dira notre reconnaissance?
C'est pour nous tous qu'il naît, qu'il souffre et meurt
Peuple, debout! Chante ta délivrance
Noël! Noël! Chantons le Rédempteur!
Noël! Noël! Chantons le Rédempteur!

La plus belle nuit du monde

La plus belle nuit du monde
C'est cette nuit de Noël
Où les bergers étonnés
Ont levé les yeux vers le ciel
Une étoile semble dire
Suivez-moi je vous conduis
Il est né cette nuit

Glory Glory Alleluia
Glory Glory Alleluia
Glory Glory Alleluia
Chantons, chantons Noël

Sur la paille d'une étable
Ils se sont agenouillés
Les pauvres comme les princes
Au pied de l'enfant nouveau-né
Et ce chant comme une source
A traversé le pays
Il est né cette nuit

Glory Glory Alleluia
Glory Glory Alleluia
Glory Glory Alleluia
Chantons, chantons Noël

Glory Glory Alleluia
Glory Glory Alleluia
Glory Glory Alleluia
Chantons, chantons Noël

Mon beau sapin

Mon beau sapin, roi des forêts
Que j'aime ta verdure!
Quand, par l'hiver
Bois et guérets
Sont dépouillés
De leurs attraits
Mon beau sapin, roi des forêts
Tu gardes ta parure

Toi que Noël
Planta chez nous
Au saint anniversaire!
Jolis sapins
Comme ils sont doux
Et tes bonbons et tes joujoux!
Toi que Noël
Planta chez nous
Tout brillant
De lumière

Mon beau sapin
Tes verts sommets
Et leur fidèle ombrage
De la foi qui ne ment jamais
De la constance et de la paix
Mon beau sapin, roi des forêts
Tu gardes ta parure

Trois anges sont venus ce soir

Trois anges sont venus ce soir
M'apporter de bien belles choses
L'un d'eux avait un encensoir
L'autre avait un bouquet de roses
Et le troisième avait en main
Une robe toute fleurie
De perles, d'or et de jasmin
Comme en a Madame Marie
Noël, Noël, nous venons du ciel
T'apporter de très belles choses
Car le bon Dieu au fond du ciel bleu
Est chagrin lorsque tu soupires

Veux-tu le bel encensoir d'or
Ou la rose éclose en couronne?
Veux-tu la robe ou bien encore
Un collier où l'argent fleuronne?
Veux-tu des fruits du paradis
Ou du blé des célestes granges?
Ou comme les bergers jadis
Veux-tu voir Jésus dans ses langes?
Noël, Noël, retournez au ciel
Mes beaux anges, à l'instant même
Dans le ciel bleu, demandez à Dieu
Le bonheur pour celui que j'aime

Père Noël arrive arrive ce soir

J'ai vu dans la nuit passer un traîneau
Et j'ai vu aussi ton grand ami
Père Noël arrive ce soir
Il allait vers toi dans la cheminée
Il allait vers toi pour y déposer
Des jouets dans ton bas, ce soir

Et tu devras dormir
Sans te faire aucun souci
Même si tu n'en as pas envie
Tu devras rester au lit

J'ai vu dans la nuit passer un traîneau
Et j'ai vu aussi ton grand ami
Père Noël arrive ce soir

Quand viendra le jour
Tu te lèveras
Et tour à tour, tu ouvriras
Les cadeaux que tu verras
Tu vas t'amuser
Tu vas rigoler
Mais il ne faudrait pas oublier
D'être sage toute l'année

Et tu devras dormir
Sans te faire aucun souci
Même si tu n'en as pas envie
Tu devras rester au lit

J'ai vu dans la nuit passer un traîneau
Et j'ai vu aussi ton grand ami
Père Noël arrive ce soir

Promenade en traîneau

Au petit trot s'en va le cheval avec ses grelots
Et le traîneau joyeusement dévale à travers les coteaux

Dans le vallon s'accroche l'hiver, mais le ciel est bleu
Ah! Qu'il fait bon faire un tour au grand air comme des amoureux

Ho di up ho di up ohé, ohé du traîneau
Emmitouflez-vous bien dans vos manteaux
Ho di up ho di up ohé, pour se tenir chaud
L'un contre l'autre, on se blottit comme deux moineaux dans un nid

C'est merveilleux de voir défilant comme un décor peint
Devant nos yeux, des villages tout blancs et des petits sapins

Parfois tu cries, car ça penche un peu, c'est l'instant d'effroi
Moi je souris, j'ai le coeur amoureux et le bout du nez froid!

L'attelage a déjà pris le chemin du retour
Nous allons être surpris par la tombée du jour
Car c'est l'heure où la nuit sans bruit s'épanouit comme une fleur
Et s'allume le ciel qui change de couleurs

Mais voici notre maison qui nous fait signe au loin
Sa lumière à l'horizon scintille comme un point
Je me vois déjà près de toi le rire aux yeux, le coeur content
Près du grand feu de bois qui flambe et nous attend

Au petit trot s'en va le cheval avec ses grelots
Et le traîneau joyeusement dévale à travers les coteaux
Dans le vallon s'accroche l'hiver, mais le ciel est bleu
Ah! Qu'il fait bon faire un tour au grand air comme des amoureux

Ho di up ho di up ohé, ohé du traîneau
Emmitouflez-vous bien dans vos manteaux
Ho di up ho di up ohé pour se tenir chaud
L'un contre l'autre, on se blottit comme deux moineaux dans un nid

C'est merveilleux de voir défilant comme un décor peint
Devant nos yeux, des villages tout blancs et des petits sapins

Dans le vallon s'accroche l'hiver, mais le ciel est bleu
Ah! Qu'il fait bon faire un tour au grand air comme des amoureux

Au royaume du bonhomme hiver

Écoutez les clochettes
Du joyeux temps des Fêtes
Annonçant la joie
Dans chaque coeur qui bat
Au royaume du bonhomme hiver

Sous la neige qui tombe
Le traîneau vagabonde
Semant tout autour
Sa chanson d'amour
Au royaume du bonhomme hiver

Le voilà qui sourit sur la place
Son chapeau, sa canne et son foulard
Il semble nous dire d'un ton bonasse
«Ne voyez-vous donc pas qu'il est tard?»

Écoutez les clochettes
Du joyeux temps des Fêtes
Annonçant la joie
De chaque coeur qui bat
Au royaume du bonhomme hiver

Le voilà qui sourit sur la place
Son chapeau, sa canne et son foulard
Il semble nous dire d'un ton bonasse
«Ne voyez-vous donc pas qu'il est tard?»

Il dit vrai tout de même
Près du feu, je t'emmène
Allons nous chauffer dans l'intimité
Au royaume du bonhomme hiver

Allons nous chauffer dans l'intimité
Au royaume du bonhomme hiver

Moi, j'ai vu petite maman hier soir
En train d'embrasser le père Noël
Ils étaient sous le gui
Et me croyaient endormi
Mais sans en avoir l'air
J'avais mes deux yeux entr'ouverts

Ah si papa était v'nu à passer
J'me demande ce qu'il aurait pensé
Aurait-il trouvé naturel
Parce qu'il descend du ciel
Que maman embrasse le père Noël

J'ai vu maman embrasser le père Noël

Quand j'ai vu petite maman hier soir
En train d'embrasser le père Noël
J'ai bien cherché pourquoi
Et j'ai deviné, je crois
C'est parce qu'il m'avait
Apporté de si beaux jouets

Aussi pour l'an prochain, j'ai bon espoir
Qu'il viendra encore à mon appel
Et de nouveau, je ferai semblant
De dormir profondément
Si maman embrasse le père Noël

Douce nuit

Douce nuit, belle nuit
Tout se tait, plus un bruit
Tu t'endors bien au creux de ton lit
Sur les ailes d'un oiseau, tu t'enfuis
Au milieu des étoiles
Tu rêves et tout est permis
Douce nuit, belle nuit
Les cigales, les fourmis
Font la ronde et la lune leur sourit
Les planètes donnent un bal à minuit
Illuminé d'étoiles
Tu rêves et tout est permis

Vive le vent

Sur le long chemin
Tout blanc de neige blanche
Un vieux monsieur s'avance
Avec sa canne dans la main
Et tout là-haut, le vent
Qui siffle dans les branches
Lui souffle la romance
Qu'il chantait petit enfant

Oh! Vive le vent, vive le vent
Vive le vent d'hiver
Qui s'en va sifflant soufflant
Dans les grands sapins verts
Oh! Vive le temps, vive le temps
Vive le temps d'hiver
Boules de neige et jour de l'an
Et bonne année grand-mère

Joyeux, joyeux Noël
Aux mille bougies
Quand chantent vers le ciel
Les cloches de la nuit
Oh! Vive le vent, vive le vent d'hiver
Qui rapporte aux vieux enfants
Leurs souvenirs d'hier

Et le vieux monsieur
Descend vers le village
C'est l'heure où tout est sage
Et l'ombre danse au coin du feu

Mais dans chaque maison
Il flotte un air de fête
Partout la table est prête
Et l'on entend la même chanson

Oh! Vive le vent, vive le vent d'hiver
Qui s'en va sifflant soufflant
Dans les grands sapins verts
Oh! Vive le temps, vive le temps
Vive le temps d'hiver
Boules de neige et jour de l'an
Et bonne année grand-mère

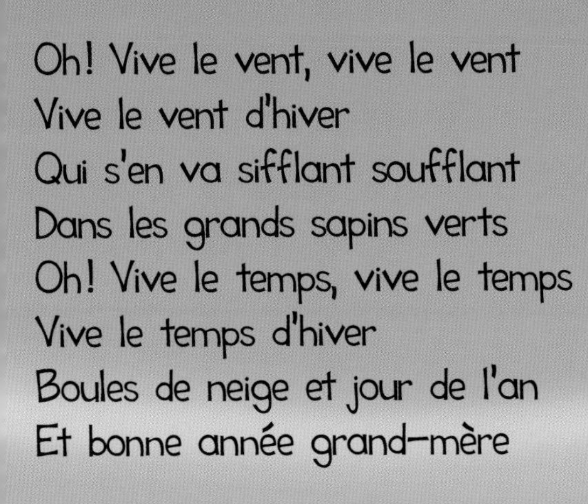

L'enfant au tambour

Sur la route Pa Ram Pam Pam Pam
Petit tambour s'en va Pa Ram Pam Pam Pam
Il sent son coeur qui bat Pa Ram Pam Pam Pam
Au rythme de ses pas! Pa Ram Pam Pam Pam
Ram Pam Pam Pam
Ram Pam Pam Pam
Ô! petit enfant Pa Ram Pam Pam Pam
Où vas-tu?

Hier, mon père Pa Ram Pam Pam Pam
A suivi le tambour Pa Ram Pam Pam Pam
Le tambour des soldats Pa Ram Pam Pam Pam
Alors je vais au ciel Pa Ram Pam Pam Pam
Ram Pam Pam Pam
Ram Pam Pam Pam
Là, je veux donner pour son retour
Mon tambour

Tous les anges Pa Ram Pam Pam Pam
Ont pris leurs beaux tambours Pa Ram Pam Pam Pam
Et ont dit à l'enfant Pa Ram Pam Pam Pam
Ton père est de retour! Pa Ram Pam Pam Pam
Ram Pam Pam Pam
Ram Pam Pam Pam
Et l'enfant s'éveille Pa Ram Pam Pam Pam
Sur son tambour (bis)

Joyeux Noël

Le feu danse dans la cheminée
Dehors on tremble de froid
Nuit de Noël, de sapins parfumée
Partout tu fais naître la joie
Et, au réveillon, pour les amoureux sous le gui
Les baisers seront permis
Les enfants, le coeur vibrant d'espoir
Ont peine à s'endormir ce soir

Le père Noël, s'est mis en route
Sur son traîneau chargé de joies et de cadeaux
Et les petits le guettent et ils écoutent
La folle ronde des rennes dans le ciel
Et moi, pour vous, je fais ce simple voeu
Qu'on échange depuis l'Enfant-Dieu
Jeunes et moins jeunes, soyez tous très heureux
Joyeux, joyeux Noël

Le père Noël s'est mis en route
Sur son traîneau chargé de joies et de cadeaux
Et les petits le guettent et ils écoutent
La folle ronde des rennes dans le ciel
Et moi, pour vous, je fais ce simple voeu
Qu'on échange depuis l'Enfant-Dieu
Jeunes et moins jeunes, soyez tous très heureux
Joyeux, joyeux Noël

Feliz Navidad
Joyeux
Noël!

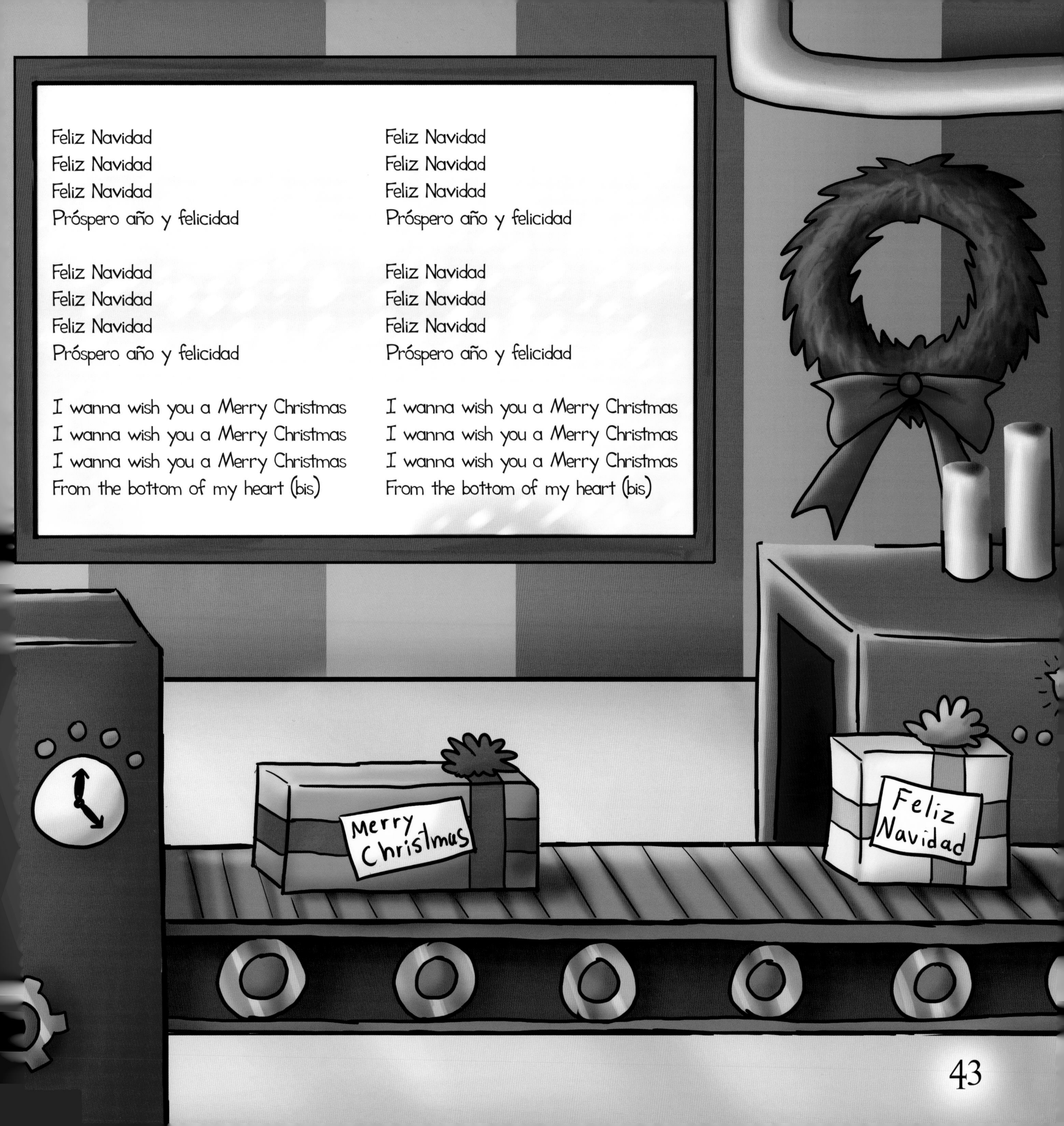
Feliz Navidad
Feliz Navidad
Feliz Navidad
Próspero año y felicidad

Feliz Navidad
Feliz Navidad
Feliz Navidad
Próspero año y felicidad

I wanna wish you a Merry Christmas
I wanna wish you a Merry Christmas
I wanna wish you a Merry Christmas
From the bottom of my heart (bis)

Feliz Navidad
Feliz Navidad
Feliz Navidad
Próspero año y felicidad

Feliz Navidad
Feliz Navidad
Feliz Navidad
Próspero año y felicidad

I wanna wish you a Merry Christmas
I wanna wish you a Merry Christmas
I wanna wish you a Merry Christmas
From the bottom of my heart (bis)
Merry Christmas
Feliz Navidad

Le bonhomme de neige

C'est l'hiver et le hameau tremblant
Est couvert d'un édredon tout blanc
Mais dehors les enfants
Courent triomphants

Regardez le bonhomme de neige
Qui se dresse à l'orée du grand bois
Il a l'air imposant d'un roi nègre
Qui soudain serait blanc de froid

C'est l'hiver, mon chéri
Je t'adore et je prie
Pour qu'un ciel toujours bleu nous sourie
Car l'amour bien souvent
N'est aussi qu'un jeu d'enfant
Qu'on voit fondre au soleil du printemps

Un gamin l'a coiffé d'un chapeau
Dans ses mains, on pique un vieux plumeau
Et l'on rit de son nez tout enfariné
Regardez le bonhomme de neige
Qui se dresse à l'orée du grand bois
Tous les jours, les enfants en cortège
Le saluent en criant de joie

C'est l'hiver, mon chéri
Je t'adore et je prie
Pour qu'un ciel toujours bleu nous sourie
Car l'amour bien souvent
N'est aussi qu'un jeu d'enfant
Qu'on voit fondre au soleil du printemps (bis)

Les anges dans nos campagnes

Les anges dans nos campagnes
Ont entonné l'hymne des cieux
Et l'écho de nos montagnes
Redit ce chant mélodieux
Gloria in excelsis Deo (bis)
Bergers, pour qui cette fête?
Quel est l'objet de tous ces chants?
Quel vainqueur, quelle conquête
Mérite ces cris triomphants?
Gloria in excelsis Deo (bis)
Cherchons tous l'heureux village
Qui l'a vu naître sous ses toits
Offrons-lui le doux hommage
De nos cœurs et de nos voix
Gloria in excelsis Deo (bis)

Dans une boîte en carton
Sommeillent les petits santons
Le berger, le rémouleur
Et l'enfant Jésus rédempteur
Le ravi qui le vit
Est toujours ravi
Les moutons en coton
Sont serrés au fond
Un soir alors
Paraît l'étoile d'or
Et tous les petits santons
Quittent la boîte de carton
Naïvement, dévotement
Ils vont à Dieu porter leurs voeux
Et leur chant est touchant
Noël! Joyeux Noël!
Noël joyeux de la Provence

Le berger comme autrefois
Montre le chemin aux trois rois
Et ces rois ont pour suivants
Des chameaux chargés de présents
Leurs manteaux sont très beaux
Dorés au pinceau
Et ils ont le menton
Noirci au charbon

De grand matin
J'ai vu passer leur train
Ils traînaient leurs pauvres pieds
Sur les gros rochers de papier
Naïvement, dévotement
Ils vont à Dieu porter leurs voeux
Et leur chant est touchant
Noël! Joyeux Noël!
Noël joyeux de la Provence

Dans l'étable de bois blanc
Il est là le divin enfant
Entre le boeuf au poil roux
Et le petit âne à l'oeil doux

Et l'enfant vagissant
Murmure en dormant
Les jaloux sont des fous
Humains, aimez-vous
Mais au matin
Joyeux Noël prend fin
Alors les petits santons
Regagnent la boîte en carton
Naïvement, dévotement
Ils dormiront dans du coton
En rêvant du doux chant
Noël! Joyeux Noël!
Noël joyeux de la Provence
Dormez chers petits santons
Dans votre boîte en carton
Noël! Noël! Noël!

Le Noël des petits santons

La marche des rois

De bon matin, j'ai rencontré le train
De trois grands rois qui allaient en voyage
De bon matin, j'ai rencontré le train
De trois grands rois dessus le grand chemin

Venaient d'abord les gardes du corps
Des gens armés avec trente petits pages
Venaient d'abord les gardes du corps
Des gens armés dessus leur justaucorps

Puis, sur un char, doré de toutes parts
On voit trois rois modestes comme d'anges
Puis, sur un char, doré de toutes parts
Trois rois debout parmi les étendards

L'étoile luit et les rois conduit
Par longs chemins devant une pauvre étable
L'étoile luit et les rois conduit
Par longs chemins devant l'humble réduit

Au Fils de Dieu, qui naquit en ce lieu
Ils viennent tous présenter leurs hommages
Au Fils de Dieu, qui naquit en ce lieu
Ils viennent tous présenter leurs doux voeux

De beaux présents : or, myrrhe et encens
Ils vont offrir au Maître tant admirable
De beaux présents : or, myrrhe et encens
Ils vont offrir au bienheureux Enfant